KB264133

나를
버려주세요

코타비 각색 채로 작화 자은향 원작

Yeondam × DAON

I

FINE
TOON

나를 버려주세요 1

초판 1쇄 인쇄 | 2022년 12월 30일
초판 1쇄 발행 | 2023년 1월 13일

만화 | 코타비, 채로
원작 | 자은향
펴낸이 | 권태완 우천제

편집책임 | 신현아
편집 | 홍세라
편집디자인 | 최보윤

펴낸곳 | (주)케이더블유북스
등록번호 | 제25100-2015-43호
등록일자 | 2015. 5. 4

주소 | 서울특별시 구로구 디지털로31길 38-9 에이스테크노타워 1차 401호
전화 | 02-867-4626 팩스 | 02-866-4627
E-mail | design@kwbooks.co.kr

ISBN 979-11-404-5271-2 07810
979-11-404-5270-5 (set)

I
나를
버려주세요
코타비 각색 채로 작화
자은향 원작
Yeondam × DAON
FINE TOON

Kotavi chero

Contents

Chapter 1

Just Leave me be

칼럿병.

원인 불명.
치료 불가.

모든 것이
의문에 휩싸인
불치병.

칼릿에 걸린 이는
발병 부분부터
몸이 굳기 시작해
점점 퍼지며
피부가 돌처럼 변하고.

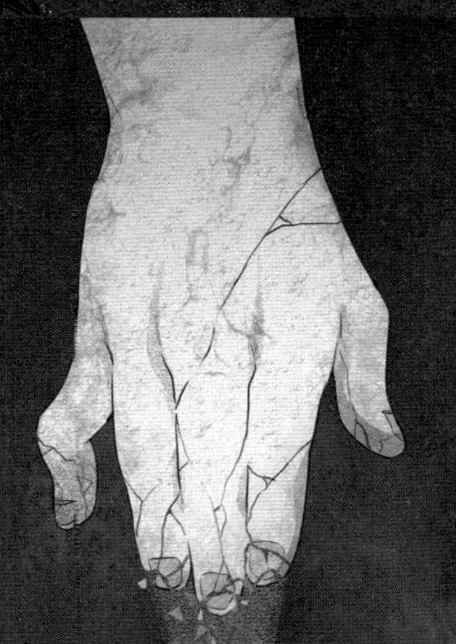

종국에는 가루처럼
온몸이 바스러져

죽음에 이르게 된다.

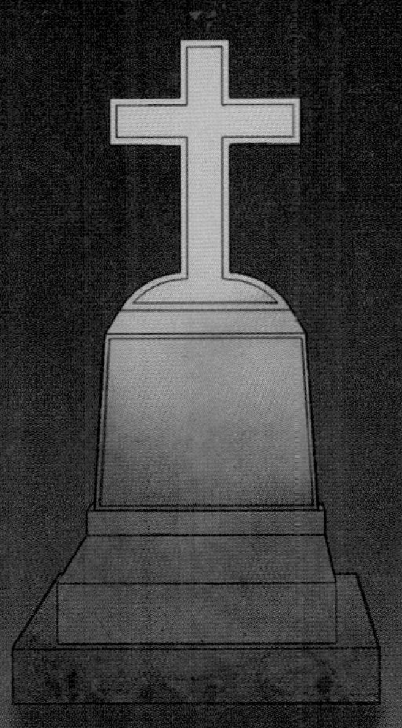

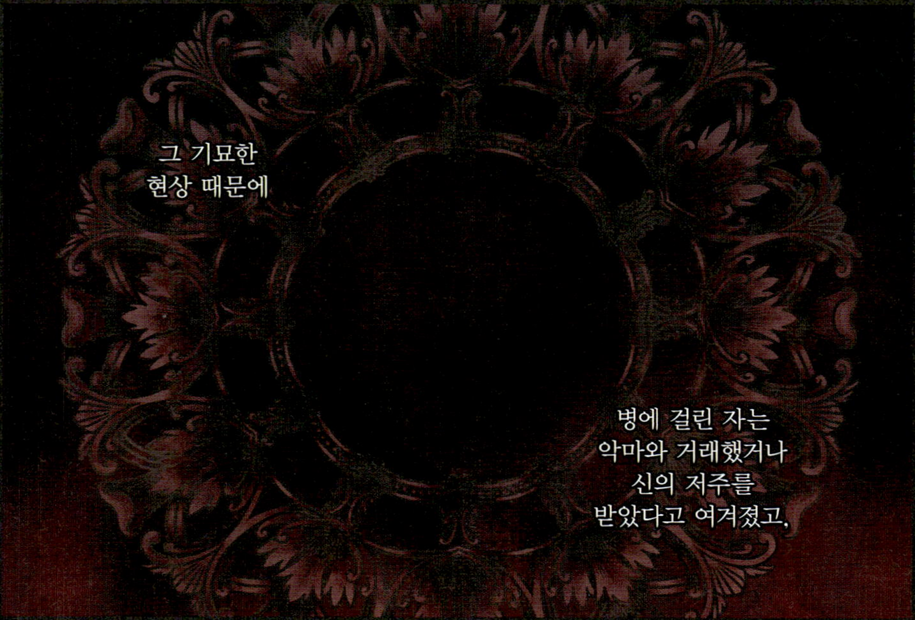

그 기묘한
현상 때문에

병에 걸린 자는
악마와 거래했거나
신의 저주를
받았다고 여겨졌고,

귀족 가문에서
환자가 나오면
그 집안이
부정하다 여겨져

가문의 존속 자체가
위태로워졌다.

콰

그리고

르릉

아무리
명망 높은
공작가라도

병은
피해갈 수
없었다.

덜컹 덜컹
쏴아아아
—카레나
비프타.

공작의
죽은 딸과
똑같은
연두색
머리카락과
황금빛 눈동자.
이것이
뒷골목에서
자란 나를
죽은
카레나 비프타의
대역으로
선택되게
만들어주었다.

죽은 딸의 대역만
잘 해준다면,
네가 원하는 건
무엇이든
가질 수 있단다.

아무것도
가진 게 없던
내 삶에 온
하나의 기회.

갖은 무시와
혹독한 취급을
받고,

공작가 자식들과
하인들마저
날 괴롭혀도

그 하나를
희망으로 삼아,

최선을 다해서
'나의 역할'을
하기 위해
노력했는데…

헥시온 대공과
결혼한다고?

내 딸의 이름을 달고
그런 혼처라니…

사생아 주제에
대역 행세를 하는 가짜에게
어울리는 상대긴
하겠구나.

사생아….

그저 딸과 비슷한 여자아이를 주워다가 대역을 삼은 줄 알았는데.

촤륵

공작이 진짜로

내 아버지였다니….

쏴아아아

…공녀의 행렬이라기엔

초라하기 그지없어.

내가 공작의 사생아란 걸 끝까지 몰랐다면,

이렇게 팔리듯 시집가는 것도

공작가에 새로운 막내딸이 태어나자

가짜는 필요없다는 것처럼…

나의 역할이라 생각했을까?

들으셨어요?
헥시온 대공의 얼굴엔 끔찍한 흉터가 있다면서요?
마수의 저주를 받은 건 아닐까요?
오싹
괜찮아…
까득
그런 건 상관없어.
성격만 좋으면 되지….
………
다그닥
다그닥
좋게 생각하자.

그래.
이걸로 나는…
내 삶을 살 수 있는
기회를 얻은 거야.

버린 시간이
10년이나
되어서…
너무
늦어버린 걸지도
모르겠지만,
!!!
뭐지?

콰
쿠콰
마차가…?!
콰콰콰
텅
꺄악…!!
슈우우

콰앙

끼익..
무슨 일이…
벌어진 거지?
일단
밖으로…
콜록
콜록
읏…
따끔
따끔
밖으로
나가야 해!

콱
여기에 있었네~
??!
찾았다!
찾았다… 고?
스으

!!!
흠칫
호위기사들이…
다 죽어 있어?

이…
이거 놔!!
내가 대체
누군 줄 알고…!!
핫,
가짜 주제에
말이 많네.
가짜?
—뭐지.
천박한
말투와 행동에,
기사일 리
전혀 없는 자들이
당신들
누구야…?
마치 날 잘 알고
있다는 듯이….
왜 당신들이
공작가 기사의
옷을…

—하하
어차피 곧
죽을 텐데.
눈치가 너무
빠른 거 아니야?
뭐?
잠깐, 설마—
이건
정략결혼이잖아?
아직 혼인이
성사되지도
않았는데….

황실과 공작가의
관계를 위해서
필요한 결혼…
새로운 딸이
태어났다 해도
아직 난
이용 가치가 있어!

공작가에서
날 죽이려고
할 리가…
스릉
공작 각하의
전언이다.

'지금껏 수고했다'

촤
아
쏴아아아

—조금이라도

사랑받고 싶었던 것이

욕심이었던 걸까?

그래도…

나를 필요로
해줬으니까.

도움이
되고 싶었어….

정작 당신은
친딸인 나를

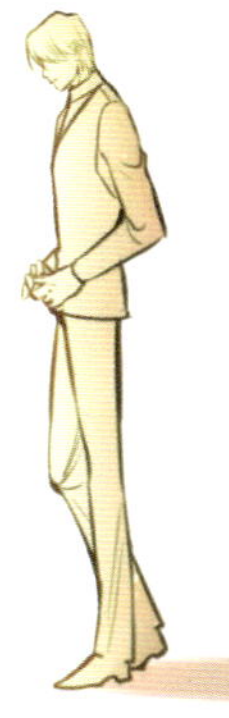

자식으로
생각하지도
않았는데.

....
전부…
처음으로
되돌리고
싶어.

파아아앗

…너의

시간을…

되돌려…

파아앗
짹짹
……….
짹
……음?
움찔

벌떡
잠깐만…
하아
하아
팟
여긴…

여긴 어디지?

Chapter 2

Just Leave me be

아가씨
일어나셨나요?
촤악
벨라…?
날씨가 좋네요~
나
…설마
살아남은 건가? 운 좋게?
하지만 그런 거라기엔…
상처도 남아 있지 않아.

오늘은 펠리스 님이 아카데미에서 돌아오시는 날이에요.
서둘러 움직이셔야 돼요.

…펠리스?

짹짹

짹

펠리스가 아카데미를 졸업한 건 2년 전인데?

이게 대체 무슨…

아가씨?

그러고보니 벨라의 유니폼도 바뀌기 몇 년 전의 것이야.

벨라, 지금이 몇 년도였지?
?

제국력 475년 이잖아요.
아가씨~ 시간 없어요. 얼른 준비하셔야 돼요~
475년….

내가 죽기
3년 전으로
돌아왔잖아?

어떻게 된 거지,
이게…

꿈인지, 현실인지
혼란스러운 기분이야.

하지만 정황상,
과거로 돌아온 건
분명하겠지….

이미 벌어진 일,
눈앞의 상황을
믿는 수밖에.

…그럼

내가 정략결혼으로
집을 떠나는 건
3년 후….

톡
톡

이 집에
막내딸이 태어나는 건
내년의 일이겠네.

여동생이
태어나면

나에 대한 감시가
소홀해질 거야…!

그 미래가
반복되기 전에
도망치자.

그래.
언제나
지금처럼…
또각
또각
화려한
드레스를
입고
그들의 마음에
들기 위해
코르셋을 조이고
제 발로
웅성
웅성
싸늘한 눈초리를
받으러 갔었다.
째릿
슥
좋은 아침이에요.
아버지, 어머니.

…그리고
오랜만이에요.
펠리스
오라버니.

그래.
언제나 그렇듯
시선도
마주치지 않는 대답….

이쪽은
쳐다보지도 않네.
뭐, 이젠
아무렇지도 않지만.

털
썩..

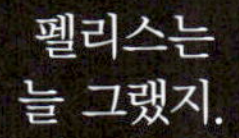
펠리스는
늘 그랬지.

언제나
관심 없다는 듯
냉담한 표정….

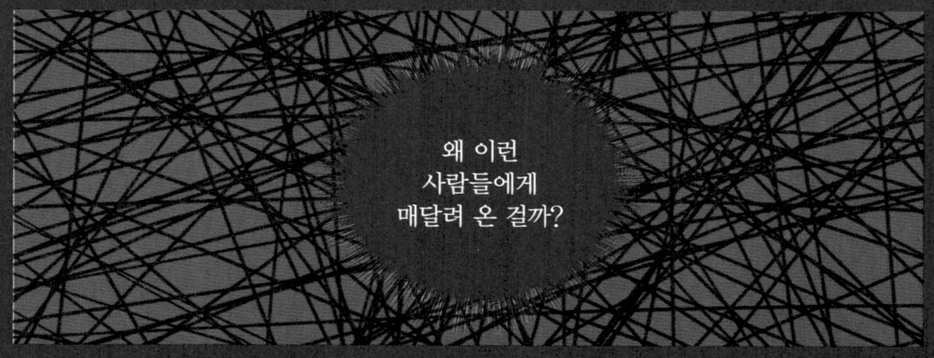
왜 이런
사람들에게
매달려 온 걸까?

돌아올 리 없는
애정을 갈구하며
긴 시간을
노력한 대가가
친아버지에게
죽임당하는
미래라니.

바보같은 내 모습을 보며
다들 우스워했겠지….
더 이상
당신들의 꼭두각시가
되는 건 사양이야!

더는 당신들에게
놀아나지 않겠어.
그럼 저는 몸이 좋지 않아
이만 들어가 보겠습니다.
슥

예전 같으면 식사 자리에서
두 시간 동안 고생했을 텐데…

후…

10분 만에 끝났네.

괜찮을까 싶었는데
다행히 아무도
신경 쓰지 않았어….
쭈-욱

그러고 보니…
이맘때쯤
사냥 대회가 있었지.

귀족 영애들은
사냥 대회에 참가하는
기사나 약혼자를 위해
직접 진주나
유리로 만든 구슬에
형형색색의 실을 매달아
술을 만든 후 건넨다.

자연스러워 보이려면
이 시기에 했던
행동에 맞춰야 해.
하지만 그때도
술을 누군가에게
건네주진 않았는데….

…그럼,
그때의
우승자였던
'그 사람'에게
주는 건 어떨까.
괜찮은걸?
그 사람은
술을 한 개도
못 받았으니까.

좋아
술 재료는
내일 시장에서
사기로 하고
지금은
서재에 다녀오자.
펠리스 도련님
자리에…
네!

이맘때쯤의 일들은
기억이 불명확하니까…
끼익
상황 파악을
해야지.
3년 전에
발간된 서적이
뭐가 있었더라?

웅성
웅성
어?
무슨
소란이지?

카레나
아가씨!!
팍

한참
찾았잖아요!!

벌컥

애꿎은 아랫것들이
아가씨때문에
혼나는 거
안 보이세요?

……..

찌풀
콜록
콜록…

공작님께
말씀드렸으니
좀 참으세요.
콜록
콜록
똑바로
누우셔야죠.
슥
하아
하아
하지만…
자꾸 보채시면
제가 힘들어요.
아시겠어요?
너는 어린 시절부터
공작의 명만 따를 뿐…
미안…
미안해,
벨라….
나를 윗사람으로
대한 적이 없었지.

그래…
그동안
내가 너무 많이
봐줬던 거야.

…….
내가 왜 마음대로 돌아다니면 안 되는데?
네?
왜… 왜냐고요?

왜 이러세요?

버럭

멋대로 구시면 안 되는 거!

지금 와서 제가 설명해 드려야 하냐구요!

벨라.

하아

공손히 말하렴,
벨라.

욱신 욱신

아…

아?

아가씨?

팍

제정신
이세요?

지금
무슨 짓을
하시는…

그건
내가 할 말이야.

무릎 꿇고
빌어, 벨라.
버릇없는 아랫것에게
기회를 주는 건
한 번뿐이란다.

Chapter 3

Just Leave me be

나왔습니다.

달

칵

두근

우와—!

두근

슥

공작저에선…
늘 체할까 봐
샐러드만
먹었었는데.

제대로 된 음식을
먹는 것도
오랜만이네.

텁
와…
맛있어.
우와
맞아,
식사는 이렇게
즐거운 것이었지….

…후,
혼자 여유롭게
밖에 나와본 것도
얼마 만인지….

아직
안전하지
않지만…
이제
'카레나 비프타'의
역할 같은 거에
매달릴 이유가
없으니까.

우선 그동안
모아둔 돈으로
먹고 싶은 거 먹고
사고 싶은 거나
사야지.
촤르르

무사히
도망치고 나면…
어떤 걸 하고
살아갈 수 있을까?
멀리 떠나 식당을
차린다거나…
찬
아니면
여관도 괜찮겠네.
그 정도면
혼자 먹고살기엔
적당하지.
그것도 아니면
고고학자도 괜찮겠지.
슥
그러려면
모험가 집단에
들어가야 하는데.
톡
진을 찾아가
볼까…?
날 알아보려나?

그래. 탈출만 성공하면
무엇이든 길이 열릴 거야.

어릴 때부터 필사적으로
공부해서 다행이네….
외국어에
고대어,
약학까지…

툭
와…
확
신기해.
주먹질하다
코피 난 적은
있지만…
공부하다가도
코피가
나는구나.
훌쩍
좋아.
?
열심히 하자.
이 늦은
시간까지…
대단하군.

열심히 해서
아버지한테
인정받는 거야.
두근
두근

…이런 것도
제대로
못 하다니.

한심하구나.

쿠궁

탁
…내가 너무 자만했어.
아버지가 보시기엔 아직 많이 모자랐을 텐데….

사냥 대회에 참가해도 된다고 허락해 주셨으니까.

예쁜 술을 만들어서

아버지와 오라버니께 드려야지.

이렇게 이른 시간에 오셨어요?
인기가 많은 색상을 사려구요.

아버지와 오라버니에게 어울릴…

예쁜 색깔.

포장 다 됐습니다~
예쁜 술을 만드세요.

네!

정말…
열심이었지.

그 술은 결국
전해주지도
못했는데.

비프타 영애를
보셨나요?

펠리스는
다른 사람들이
술을 한가득
전해줬고,

스윽..

술을 줄 사람이
그리도 없었는지.

속닥
속닥

가족도
술을 받아주지
않았나봐요.

꽈악

세상에~

듣고 있는 제가 다
부끄러울 일이네요.

공작은
얼굴조차
보지 못하고
끝났다.

워낙 공사다망한
분이셨어야 말이지.
아…
가게에
도착했네.
딸랑
저,
술 재료를
사러 왔는데요.
어머
어쩌죠?
술 재료는 대부분 팔려서
예쁜 색은 남아있지 않아요.
어차피
큰 의미가 있어서
술을 만드는 건
아니니까.
예쁜 색상은
필요 없어.
스윽
남은 색이라도
보여주세요.

사냥 대회 우승자는
검은 갑옷을
입고 있었으니
검은색이면
충분하겠지?

검은색으로
두 뭉치만
부탁해요.
네,
알겠습니다.

유리 구슬과 진주 중엔
어느 쪽이 좋으세요?
유리로
세공한 구슬이요.

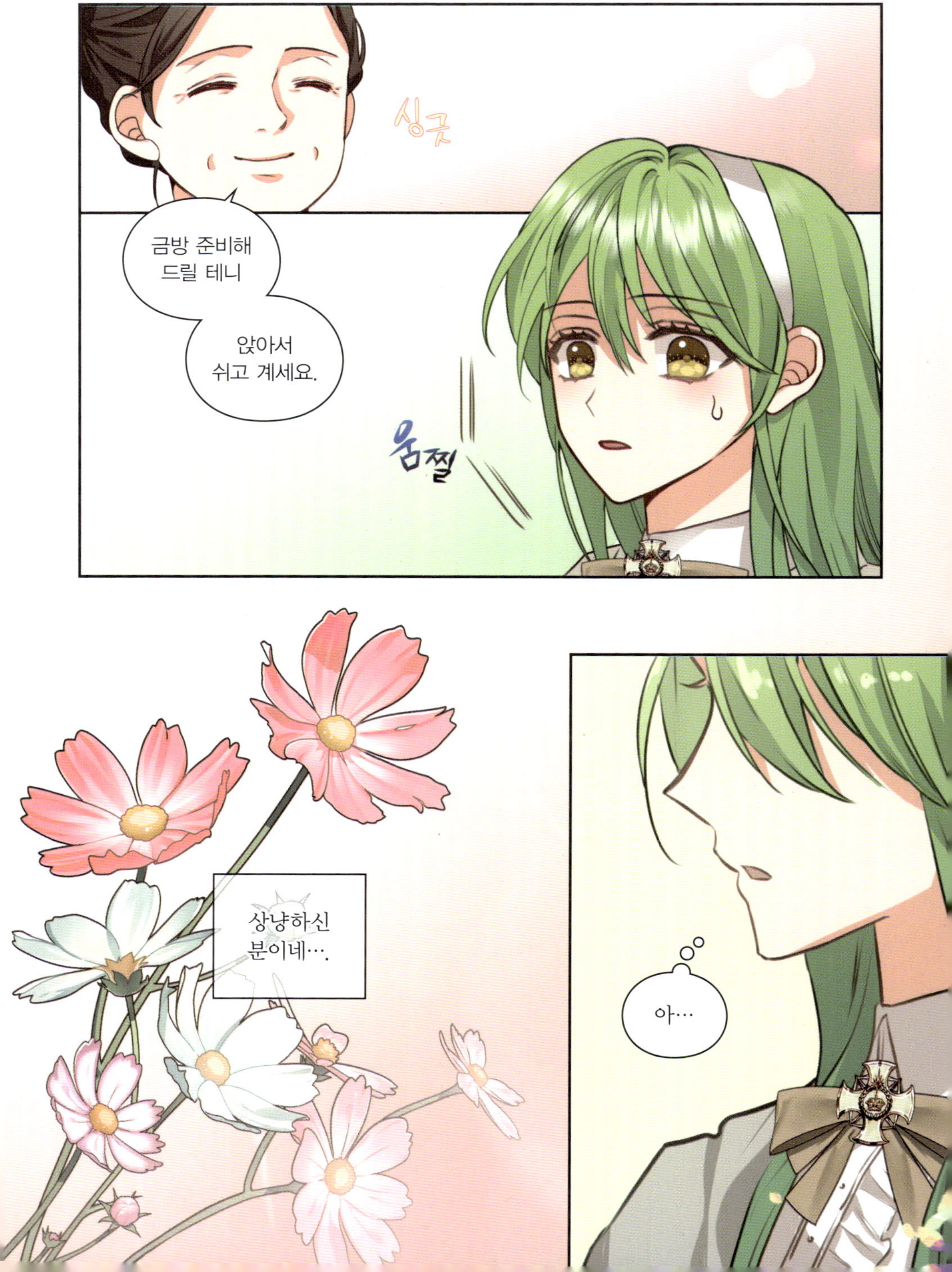

싱긋
금방 준비해 드릴 테니
앉아서 쉬고 계세요.
움찔
상냥하신 분이네….
아…

…따뜻해.
…네.

스윽..
…흐음…

그러고 보니
펠리스도…
아버지.
혹시 저 애
무슨 일이
있었습니까?
………
아무 일도
없었다.
그런 이야기를
했었지.
혹,
ㅡ요즘
저 아이가
이상하구나.

의심 가는
것이라도
있느냐.
벨라.

Chapter 4

Just Leave me be

사냥 대회의
아침이 밝았다.

귀족들은
사냥 대회에
참가하기 위해

수도에서
그리 멀지 않은
풀헤임 숲으로
향한다.

아가씨.

저…
마차가 준비되어 있으니 받침대를 밟고 올라가세요.
벨라.
도와 드릴게요.
지금은 저렇게 공손하게 굴어도
내 일거수일투족을 공작에게 고하겠지.
네 도움 같은 건 필요 없어.
문을 단단히 잡고 올라서면 되니까.

슥

어?

이상하다?

갑자기 왜 이렇게
불안해지지…?

쿵
쿵
쿵
쿵
쿵

카레나.
들어가자꾸나.

오싹

이 목소린…

공작??
다그닥
다그닥
뭐야?
다그닥
다그닥
쿵
쿵
쿵
왜 굳이
나랑 같은 마차를
타는 거지?
쿵
공작 때문에…
긴장해서
이러는 건가?
욱씬
욱씬
쿵
심장이….

쿵
쿵
'여기에 있다—!!'
쿵
쿵
'끌어내!!'
쿵

'공작 각하의
명이다.'

짹
짹
짹

카레나?

어디 아픈 거
아니냐?
아프면 일정에
지장이 생기니 제대로
진찰을 받아보거라.

괜찮습니다.
아픈 데는
없어요.
—그랬었지.
…나는

마차에서
죽었다.

이 사람의
명령에 의해서.

요즘은 아버지라
부르지 않는구나.
다그닥
……
예의를 갖추고
싶어서요.
다그닥
'아버지'라고
부를 때마다.

찡그러지던
당신의 얼굴을
기억하는데.

'아버지'라니.

요즘 이상하구나,
카레나.
너답지 않아.
나다운 거?
움찔

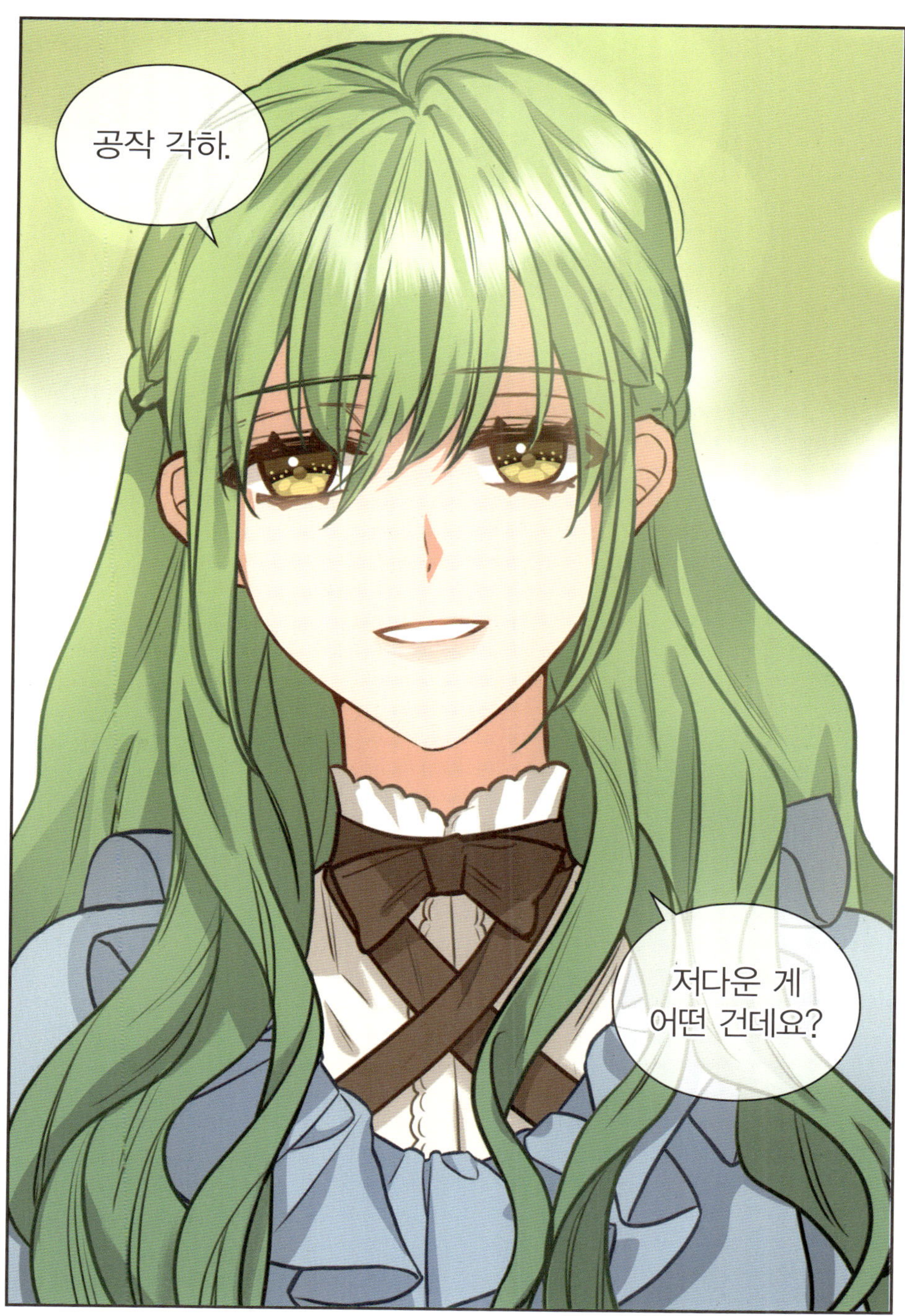
공작 각하.
저다운 게
어떤 건데요?

당신이
생각하는
'나다움'은
이젠 영원히
볼 수 없을 거야.

사냥 대회는 풀헤임 숲에서 비정기적으로 열린다.
몇 년에 한 번씩 열리는 대회는 규모가 꽤 컸다.
수많은 귀족 영애와 영식,
그리고 기사들이 모였다.
두리번
두리번
검은 갑옷을 입은 기사는 어디에 있지?

검은 갑주라
분명히 눈에
띌 텐데….
어디에…

자박
자박
아!

찾았어!

과거 이 시점과
크게 달라질 것 같진
않았지만.
그래도

혹시나 하는
마음이 있었는데…

—눈이

마주쳤어.

카레나?
아…
그새
사라졌다.

후….
가버린 걸까.
스륵
사냥 대회는
많이 남았으니까…
또 기회가 있을 거야.
부르셨나요,
아버지?
아버지…?
아아…
웅성
보는 눈이 많다
이건가.
웅성

역시 영리하구나.
그래,
카레나.
막사로
가자꾸나.

Chapter 5

Just Leave me be

귀족들은
사냥 대회
기간 동안

가문의 문양이
그려진 막사에서
숙식을 해결했다.

그러니까,

이 사람들과
이 좁은 곳에서
부대껴야
한단 말이지.

일주일
동안이나….

아가씨~
아가씨 침소는 이쪽이에요.
그래.
—어머니께 들었습니다.
콰른한테서 연락이 왔었다고요.

콰른한테서?
그래. 곧 돌아온다고 편지를 보냈지. 언제 온다고 적혀 있진 않았다만.
아, 그게 사냥 대회였지.
사냥 대회가 끝나고 콰른이 왔었어!

콰른…
콰른
비프타.
검과 마법에
모두 두각을 보이는
희귀한 마검사.

비프타 가문의
둘째 아들이다.

이건 뭐냐?
엄청 낡았네.
돌려주세요….
공…
공부할 때
자주 사용하는
펜이에요.
흐음…
그래?
우득

그딴 거에
집착하긴.
슥

주워서
쓰지 그래.

—그리고
유일하게

나를 대놓고
괴롭히던 존재였다.

끄응..
콰른이
돌아온다는 걸
완전히 잊고 있었어.

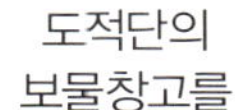
도적단의 보물창고를

다 털었다는 소문도 들리더군요.
상대가 도적이면 괜찮다.

……
아가씨…?
안절
부절
벨라, 마실 것 좀 가져오렴.
네!
쌩~

대회가 끝나고 일주일 뒤쯤에 왔었지.
똑똑히 기억한다.

뭐야.
철퍽
덜덜
마음에 안 들어?
이 오라버니가 선물도 챙겨 왔는데 섭섭하네.
저벅

아…
아니에요.
고맙습니다. 마음에 들어요.

그래.

그래야지.

욱신
욱신
아아….

지끈
탁
흔들
후두둑
앗,
이런…
응?
주섬
주섬
…이건
바스락
지도잖아?

중간중간
표시가
되어 있네
비석?
사냥 지도인
걸까?

이게 있으면
산책도 갈 수
있겠는걸?
산책이라…

사냥은
오후 5시에야
끝나니까.
그 전까지
막사로
돌아오면
되잖아?
펜도
챙겼고
좋아,
나가자.

마침 이곳에
더 있고 싶지
않기도 했어.
혹시라도
공작 부인과
마주치기라도
하면…

확

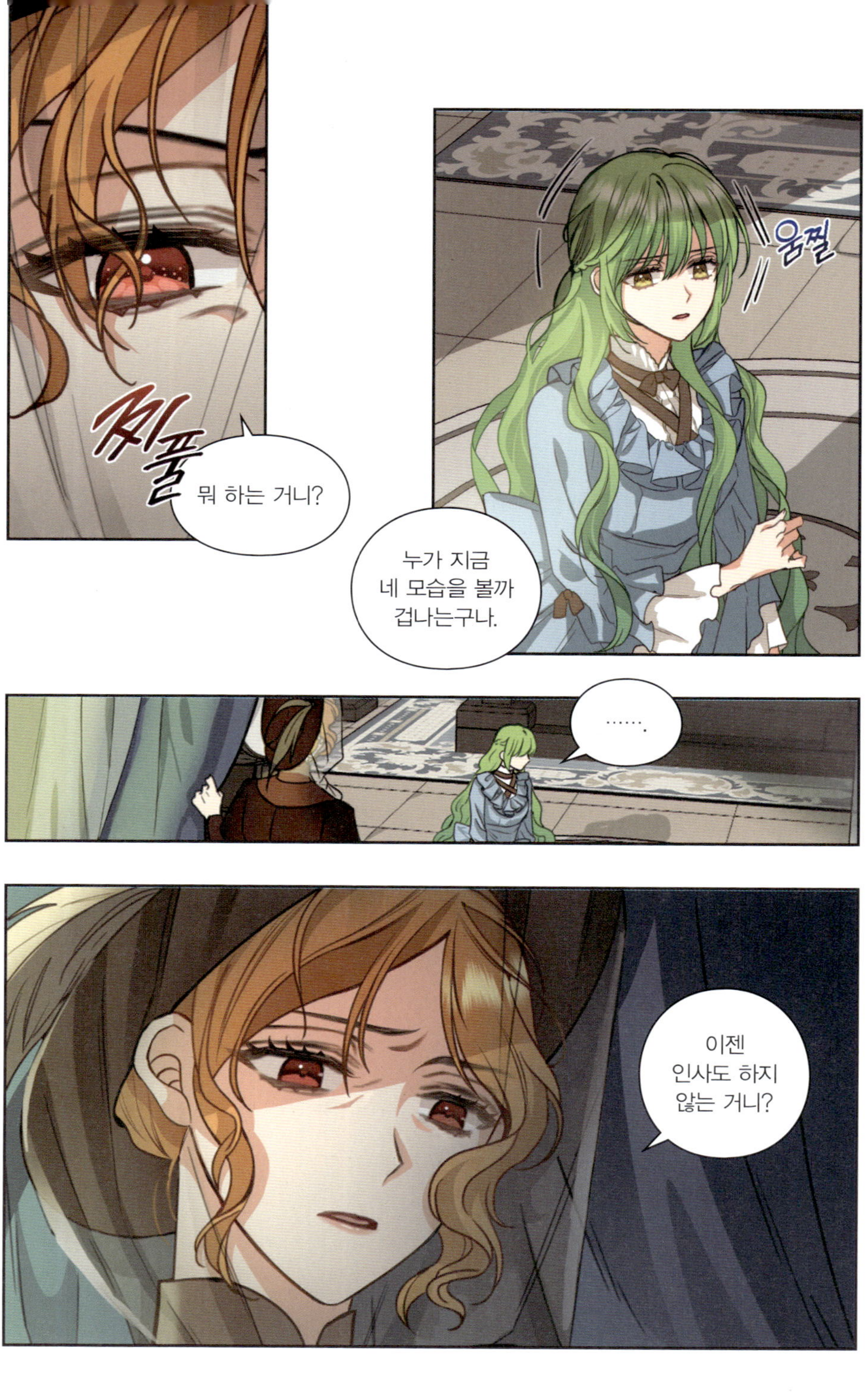

뭐 하는 거니?

움찔

누가 지금
네 모습을 볼까
겁나는구나.

…….

이젠
인사도 하지
않는 거니?

예전부터
제 인사는 받기
싫어하셨잖아요.

꾸깃

뭐?

…….

아니었나요?
슥

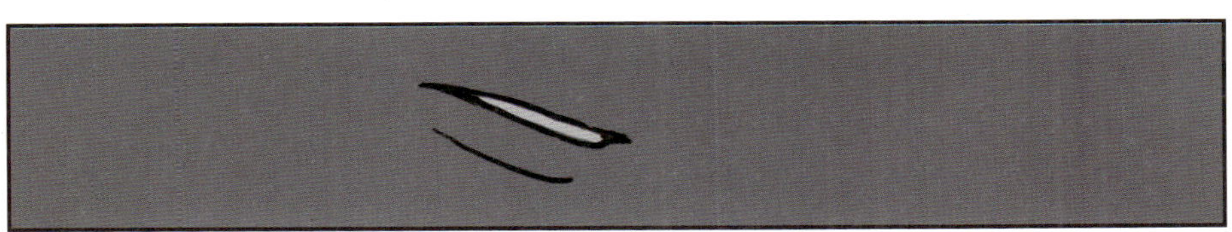

찰
……!!
싹
확
잠깐…
찰싹
아….

말대답
하지 마렴.

……
꾸욱

…잠시 나갔다
오겠습니다……

팟!
타다닥
자박…
……….
슥
지긋지긋해….

…숲!!

Chapter 6

Just Leave me be

맘이 좀
편해지는 것
같아.
샤아아
숲은 참
좋구나….
응?
저게 뭐지?
비석?

우와

엄청 커!!

크다~!

이게
그 지도에 있던
표식인가?

표식

—표면이
고대어로
가득하네.

만질

매끄러워.

막사로
돌아가기도
싫은데…
조금만
해독해 볼까?

언젠가…
언젠가 이 글을…
언젠가 이 글을 읽는 사람이 있길 바란다.
퐁
슥슥
이것은 내가…

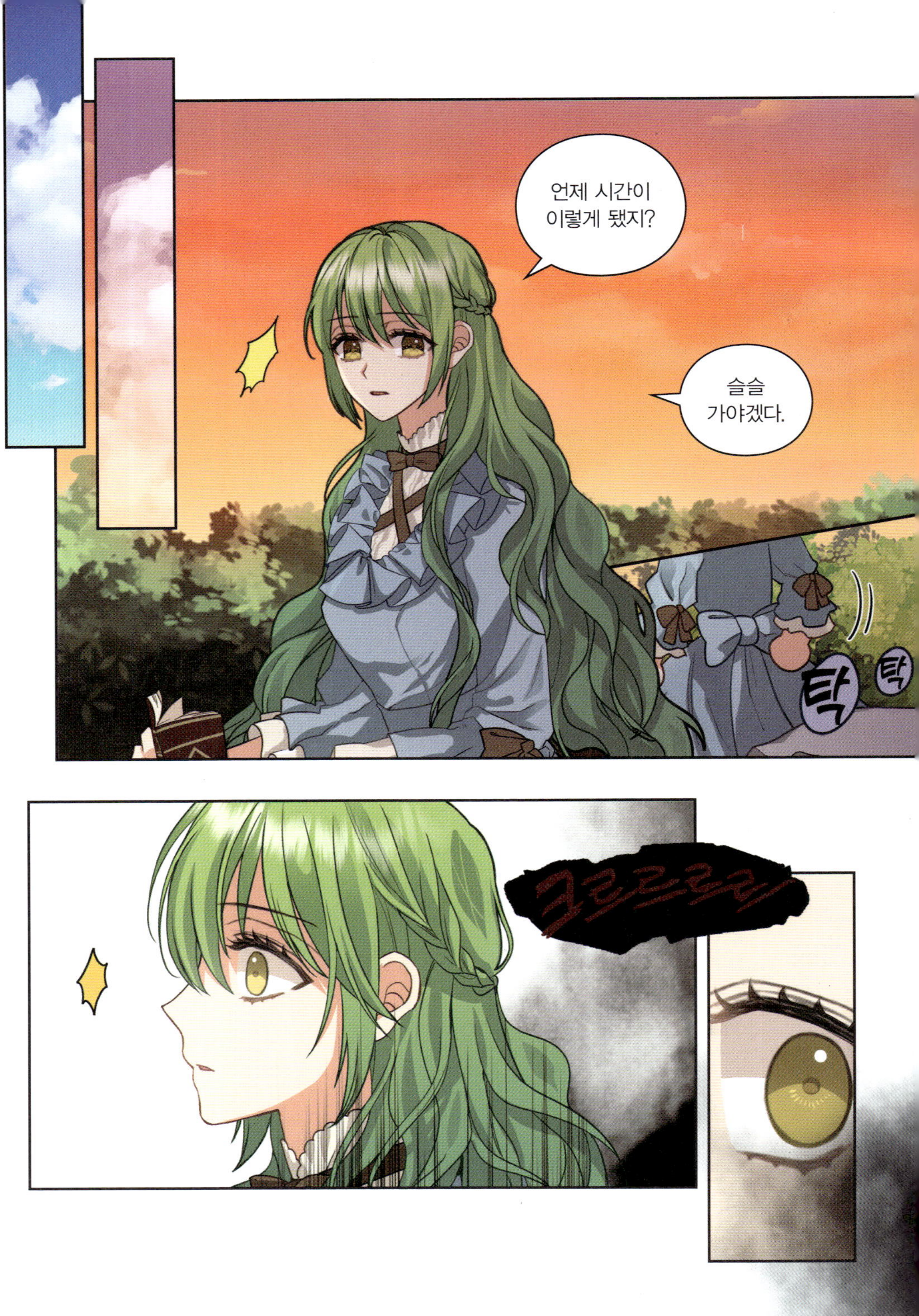

언제 시간이 이렇게 됐지?
슬슬 가야겠다.
탁
탁
크르르르르

뭐지?
크르르르
숲속에 뭔가가…
들짐승?
주춤..
도…
도망가야 해!
크륵
스윽
쿵
이 신발로는 빨리 뛸 수 없어….
살짝..

조금만 더…

됐어…!!
탁

캬아
팟
아악
!?

파앗
뛰어…!!

타다다닥
콰앙
쿵쾅

탁
크르릉

틀렸어!
따라잡힌다!

덥
!?
썩

보지 마세요.
소곤

깨갱
서걱

털
썩
후…
이젠
참습니다.
살
짝

처음 뵙겠습니다.
카레나 비프타 영애.

당신은…

검은 기사가
왜 여기에….

다치신 데는
없습니까?

아,

…네.

구해주셔서
정말…
감사합니다.

다들 영애를 찾고 있더군요.
시간이 늦었는데 돌아오지 않으신다고….
뜨끔
찔리네.

…잠시
산책을 하고 싶어서….
꾸욱
일탈을 하고 싶을 때는 언제나 있는 법이죠.

이 길을 따라 똑바로 가시면 도착하실 겁니다.

아…
같이 돌아가진 않으시나요?

움찔
……!

—저는
조금 더 둘러보고 가겠습니다.
가시는 길을 지켜볼 테니…

어서 가십시오.
…….
!
지금 술을 줘야겠다!

잘그락
저기…

이 술…
받아주시
겠어요?

Chapter 7

Just Leave me be

—이건…
이 술을 와
제게 주십니까?
우린 일면식도
없는데.
어?
왜 주냐고?

—그야

당신이 기억에
남았으니까.

"당신이 사냥 대회에서
우승할 테니까요…."
—라고
말할 순 없겠지?
흠흠
어흠…

영애의 술을
거절하는 건
기사의 도리가
아니지 않나요?

!
갸웃
—그렇군요.
!
슥
그럼,

달아
주시겠습니까?

달아줘?
…….
…뭐지?
당황

다른 영애들은
전부 달아주는 것
같던데요.

바스락
—알았어요.

당신의 승리를
기원할게요.

달그락..

슥

ㅡ그럼
답례로.
탁

당신에게
승리를
바치겠습니다.
쪽

깜짝

뿌우

우우우

우우
—당신을 찾는
소리입니다.
우

얼른
돌아가
보십시오.

아…
얼떨떨
네.

슥

자박..

방금 그건
뭐였지?

깜짝 놀랐어….
아가씨!!
어딜 갔다 오신 거예요!
공작님께서 화가 많이 나셨어요.
어머머
안절부절
아무도 모르게 돌아올 생각이었는데 일이 커졌어.
드레스 망가진 것 좀 봐.
어떡해.
벨라.
내일부터는 드레스 대신 편한 옷을 준비해 놔.
쿠궁
네?
…어떤?
하아
알아서 해.

…들어가겠습니다.

꿀꺽

다 나가라.

예.

…카레나.
이게
뭐 하는 짓이냐.

잠시 산책을
다녀왔습니다.
공작 가문의 영애가
저녁이 되도록
사라져서…
기사를 동원해야
나타날 정도의
산책이란 말이지.
그럼,
그 산책을
가기 전에는?
덜
컹
오늘 하루종일
뭘 하고 있었느냐.
'카레나 비프타'로서
해야할 일들이
있었을 텐데?

…다른…
하고 싶은 일이 있었어요.
달싹
꽈악
뭐가 어째?

쨍그랑

네가 제정신이 아니구나.
최근 벨라에게도 손을 댔다지?
…역시 벨라가.
너의 역할에 기고만장해진 것이냐?
네가 뭘 위해 그 자리에 있는질 생각해야지.

제가 이 역할을 그만두면
공작님도 곤란해지실 텐데요?
…곤란?

네가 그 역할을 그만두면
무엇을 할 수 있을 것 같으냐.
굶어 죽겠다는 거냐.
아니면 그때처럼
뒷골목에서
버려진 빵을 먹겠다고
주먹질을 할 거냐.
네 주제를
알거라.
참자—
아직은,
참아야 돼.
지금처럼
살고 싶다면
가문에
누가 되는 일은
하지 말아야지.
1년만…
—이해했다면
이야기는
그만하자.

1년만 버티면….

…….
…헉
잘그락
으윽…

헉—
……
안 돼.
이런 곳에서…

Chapter 8

Just Leave me be

크…
헉
욱씬
욱씬
안 돼…
너무 빨리 진행되고 있어!
질끈
두근
야…
약을…
까드득
두근
윽…
퐁…
샤
…뭐지?

아
아
…!
고통이 잦아들고 있어.
아

톡

이건…?

…아가씨
공작님께서
정하신
드레스예요.

………
두고 나가.

지끈

…피곤해….
털썩

맞아…
이게 있었지.
툭

아까 해석했던
비석 내용이나
읽어볼까?
사락
—언젠가

이 글을
읽는 사람이
있길 바란다.
이것은
내가 숲을
탐사하며 남긴
이야기다.

비석에는
동화 같은
이야기가
적혀 있었다.
숲의 가장
깊은 곳엔
정령의 샘이
있다든가
고대종족이
숨겨놓은
보물창고가
있으니
보물찾기를
해도 충분히
즐거울 거
라든가.

드워프의
마을로 향하는
비밀의 문이
있다는 얘기까지.
기회가 된다면
숲 안쪽까지
조사해 보고 싶다.
두근
두근
피식
엄청 유쾌한
사람이네.

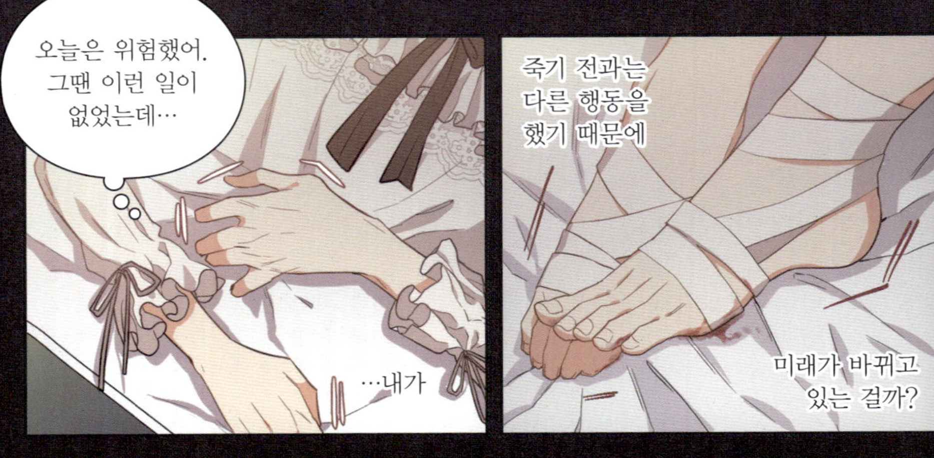
오늘은 위험했어.
그땐 이런 일이
없었는데…
…내가
죽기 전과는
다른 행동을
했기 때문에
미래가 바뀌고
있는 걸까?

다시
죽고 싶지 않아.
이후에
위험 요소가 될 만한 일은
최대한 안 하고 싶어.

—라고

생각했는데…

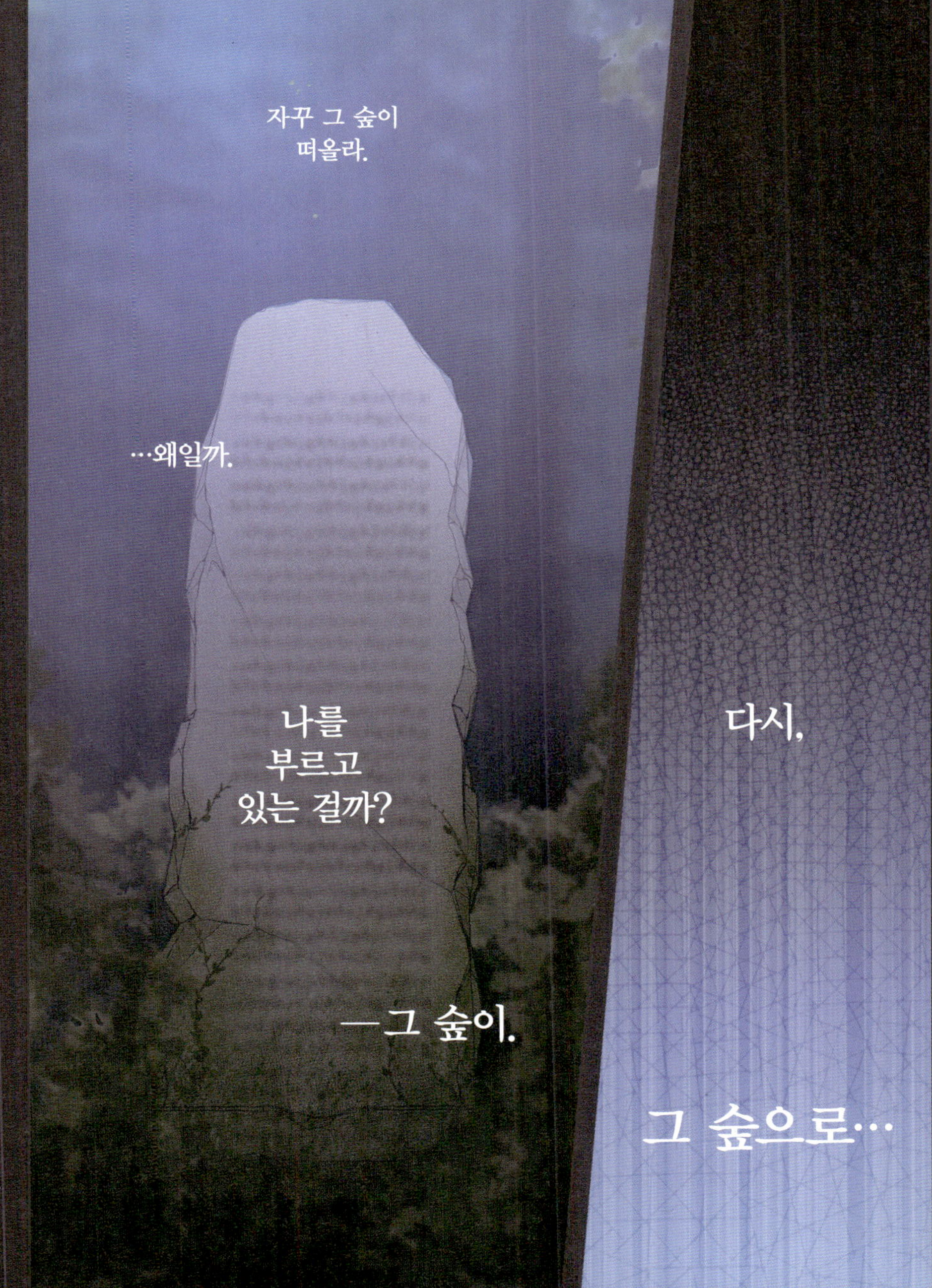
자꾸 그 숲이
떠올라.
…왜일까.
나를
부르고
있는 걸까?
—그 숲이.
다시,
그 숲으로…

영애?

무슨 생각을
그렇게 하세요?
평소에는
대화에 그렇게
끼고 싶어
하시더니—

무슨 부탁을 해도
다 들어주셔서
저희는
심부름꾼도
필요 없었는데
말이죠.
안 그래요,
유클리 영애?

아… 그래.
!!
얘가
있었지.
여전하구나….

알리아
후작 영애.

사치스러운
사교계의
문제아.

후작이
명망 높은
귀족임에도
불구하고

이 아가씨
때문에
많은 고초를
겪었었다지.

불쌍하네,
그 사람도.

—그나저나

저 옆의
유클리 영애는,

반년 뒤
칼럿병으로
죽게 될 텐데…

자신이 죽는 걸
미리 알았다면

저 사람도 이런 곳에서
이렇게 시간을 허비하고
있진 않았겠지.

…나는

나는 이대로
괜찮은 걸까?

화
괜히 책을 잡혀
입방아에
오르내리고 싶지
않다는 이유로
몸을 사리는 것보다
오히려 뭔가
다른 행동을
해보는 게
낫지 않을까?
파사삭…
악

숲….

어휴
웬 바람이….
콜록
!
드르륵

좋아.
한 번만
더 가보자.
아직
한낮이니까
괜찮을 거야.

이렇게
일어난다고
뒤에서
수군대겠지만
비프타 영애?
갑자기 왜…
이들의
실없는 수다가
공작의 귀에
들어갈 정도는
아닐 것이다.

급한 일이
생각났답니다.
상관없어.
먼저
일어나 볼게요.

우우우

웅

흠….
저벅

—보고가
진짜였군.

무엇과
접촉한 거지?

비석이
무언가에
반응하고 있다.

Chapter 9

Just Leave me be

흠‥

좋아!

마지막 부분만
해독하면 되겠어.

어디…

끙차

사각
사각

바스락

휙

뭐지…?

숲에
뭔가 있어…
저번 같은…
들짐승인가?

아냐… 마치
누군가 나를
관찰하고 있는 듯한
느낌….

어쩌지?
일단
소리 내지 말고
천천히…
스윽…

영애.
툭

꺄악

푸드덕

이런.

오소소..

제가 놀라게
해드린 것
같군요.

…검은 기사님!

많이
놀라신 것
같은데
죄송합니다.
아니,
괜찮아요.

그보다
이 시간에
숲에 계시다니….

영애께서
숲으로
들어가시는 걸
봐서요.

엣…
뭐야,
그럼 날 따라
왔다는 거야?
잠깐만요.
그럼—

오늘
사냥터에 가지
않으신 건가요?
이 사람
사냥 대회
우승자였는데…
설마 나 때문에
이 사람의 미래도
바뀌는 건가?
작은 부분이지만,
그래도…

영애에 대한
호기심이
더 컸습니다.

무슨 생뚱맞은 소리야?

제게 승리를 바친다지 않으셨던가요?

하루종일 열심히 하셔도 모자랄 텐데….

휙

하하
영애께 부끄럽지 않을 정도론 열심히 했습니다.

영애의 시간에 방해가 된 것이라면 사과드리죠.

괜찮아요.

그보단 기사님의 일정을 신경 쓰셔야 할 것 같은데요.

하셔야 할 일이 있을 텐데.

아, 그러고 보니 비석을 구경하려던 참이었죠.

빠직

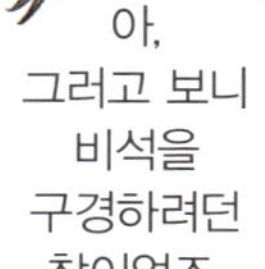

사냥 대회 말야!

말씀해 주시지
않았다면
잊어버릴 뻔 했군요.
천연덕
정말 뻔뻔한
사람이네….

하지만 그렇다 해도
고대어가 쓰여진 걸
지금까지 몰랐다니.
…영애께선
계속 뭔가를
적고 계시던데.

사냥 다회는
늘 이 숲에서 했는데
그 전엔 관심이
없으셨나 봐요?
길잡이 비석
정도로만
생각했습니다.

혹시 고대어를
읽을 줄 아시는 겁니까?
움찔

영애를 무시하는 것이 아닙니다.
고대어 해독이 가능한 분은 희귀하시니까요.
…말해줘도 괜찮겠지?
ㅡ조금요.

역시 그렇군요.

혹여 폐가 되지 않는다면,

해독한 것을 이야기해 주실 수 있으십니까?

…뭐,

대단한 내용이
있는 것도
아니니까….

원하신다면요.

—이것을 끝까지
해독한 자는

내가 쓴 내용에
관심이 있는 것이겠지.

그렇다면
숲 전체를
탐방해 보는 것도
좋을 것이다.

나는 세계를
돌아다니며
수많은 업적을
쌓았지만

가장
즐거웠던 것은
내가 아는 지식을
이 비석에
적어 넣을 때였다.

비석을
전부 찾으면

이 글을
보고 있는 그대는

분명
최고의 이야기꾼이
될 수 있을 것이다.

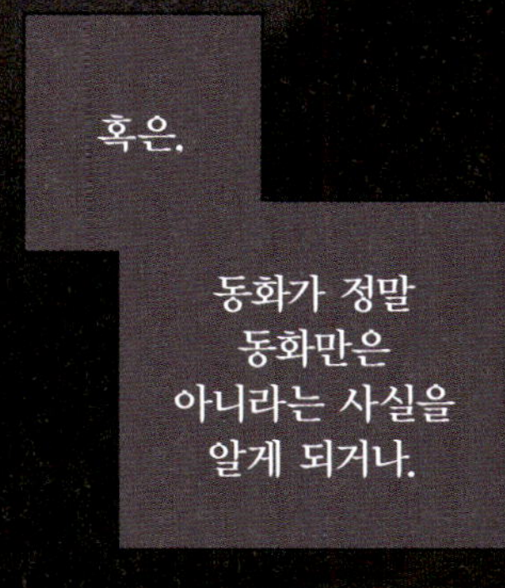
혹은.
동화가 정말
동화만은
아니라는 사실을
알게 되거나.

아!

덧붙이자면
숲의 주인을
화나게 하지 마라.
성격이
괴팍하거든!
곰?
숲의 주인은
또 뭐람….

흠…
뒷이야기가 궁금해지는군요.
이곳에 비석이 더 있는 것도 아십니까?
알고 있어. 지도에 있으니까.

하지만 여긴 사냥 대회 덕분에 올 수 있었던 거니까.

뒷 내용이 궁금하다 해도 이제 비석을 찾아다닐 여유도 없고, 위험한 행동을 할 수도 없어.

언젠가 또 기회가 되어 이 숲을 찾게 된다면 모를까….

가까운 곳에 있는 다른 비석의 위치를 압니다.

?

혹여 영애께서도 비석의 뒷 내용이 궁금하시다면,

한 달에 두 번 정도
저와 함께
숲에 오시는 것은
어떻습니까?

팟!

저는
당신 얼굴도
모르는데요….

뭐라는 거니?

제가 영애를
지켜 드리겠습니다.

믿음직!

아뇨.

괜찮아요.

단호

당신이 더
위험해 보여!!

너무하십니다.
채앵
칭찬으로 들을게요.
마음이 아픕니다.
팅
탕
거짓말도 잘하시네요.

완전 잘못 엮인 것 같아~~!!
왜 이렇게 제게 흥미가 많으신가요?
화륵

그야…

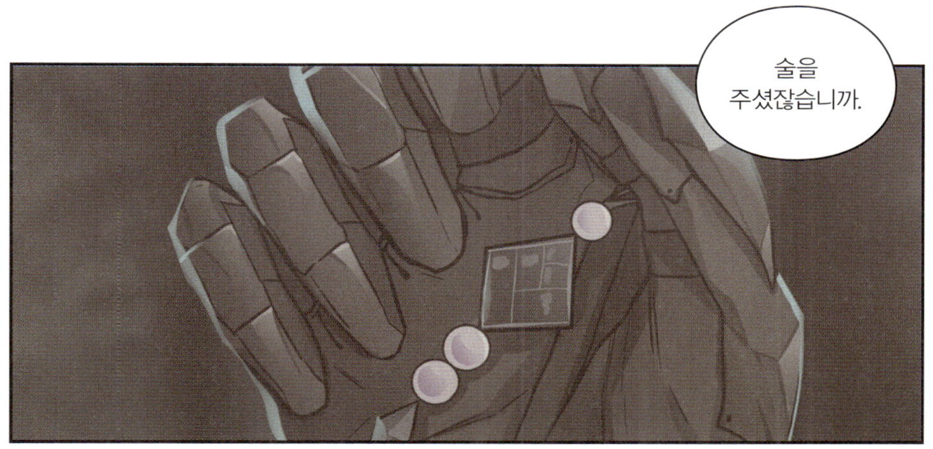
술을
주셨잖습니까.

병증을 완화시키는 힘….

그 술에 담긴 힘이
어디서 왔는지 알아야 해.

그 술, 직접
만드신 겁니까?

어머, 기사님께 선물하는 술은 보통 직접 만드는 거랍니다.
작작 좀 하시지!! 선물해 줘도 불만이야?
크악!

직접…
그럼 혹시 특별한 재료를 쓰셨습니까?
평범한 가게에서 산 거예요.

아—무래도 마음에 안 드시는 것 같은데…
저주 같은 건 안 걸었지만 그렇게 걱정되신다면—
고오오…

그게 아니고…
앗, 아닙니다.

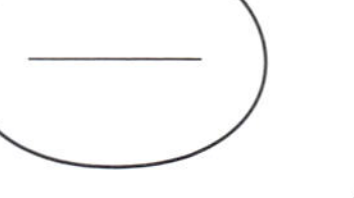

———

저는 그저,

영애께서…

제게 마음이
있으신 줄 알고
설렜습니다.

그으렇군요….
하아…
또 너무한
반응!
오해하실까 봐
말씀드리자면,
마땅히 줄 사람이 없어
기사님께 드린 것뿐이에요.

이제 되었겠죠?
그럼 전 이만…
잠깐.

이미 오해를
해버렸으면
어떡합니까?

…네?

제 마음은,

이미…

Chapter 10

Just Leave me be

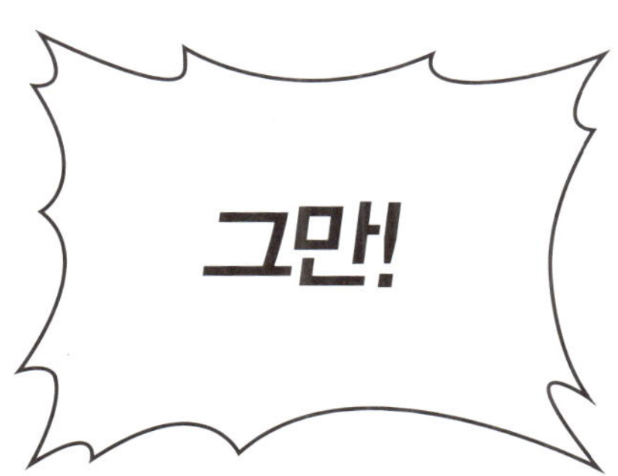
그만!

깜짝

그런 의미가
아니었다는 거
아시잖아요.
무슨 소리야,
정말….
후-
단지 절 구해주신
보답일 뿐이라고요.

…하지만…
?

보통 검은색으로 술을 만들진 않을 텐데요.
—그래서
일부러 저랑 어울리는 색을 고르셨다고 생각했습니다만….
촤라…
휘황
찬란

양심
콕
콕
콕콕
그게 맞긴 하지!

—제가
넘겨짚은 걸까요?
하아..
일부러 이러는 거지, 이 사람?

그저 함께 다음 비석을 보러 가고 싶었을 뿐인데…
애잔~
중얼 중얼
그 정도의 작디작은 호의 정도는 베풀어주실 거라고….
그렇다고 내가 뭘 믿고 당신이랑 비석 투어를 하겠어!

—검은 기사에 대해 아는 거라곤
사냥 대회 우승자라는 것밖에 없잖아.
힐끔
그마저도…

오늘이 사냥 일정의 마지막 날.
워워-
우승하려면 지금 한창 사냥을 하고 있어야 할 텐데….

—마감 시간도 얼마 안 남았어.
이제 와서 다시 사냥터로 돌아간대도…
오늘 하루를 허비한 걸 메우기 어려울 거야.

보아하니 순순히 물러날 것 같지도 않고….

—그렇다면야.
그럼 정말
사냥 대회에서
우승하신다면
한 번 시간을
내드릴게요.

—우승한다면
말입니까.
그럼 
약속하신 겁니다.
제가
우승한다면…
당신의 하루를
제게 주시는 걸로.

웅성
웅성

탁
아니,
투덜
투덜
도대체
어느 집안의
기사야?
오늘 사냥이
다 끝났나 보네.
한 시간 동안
대체 몇 마리를
잡은 건지.
한 시간?
하하하
뭐지.
설마…
아니겠지?
왠지 맘에
걸리는데.
에이,
그럴리가….

카레나.

오라버니…
아버지.
다과회가
끝났나 보구나.

같이
들어가자꾸나.
……
…네.

지긋

마주쳐
버렸네….

아버지.
그 검은 갑옷을 입은 기사는 누구입니까?
정말 대단하던데요.
검은 기사?
……엮일 필요 없다.
누군지 알고 있는 건가?
구태여 가까이 하거나 심기 거스를 필요도 없고.
저…
그렇게
경계해야 할 분인가요?

......?

훗…
너라면
괜찮을 거다.

무슨 뜻이지?

궁금증만
커져 버렸어….

다음 날
와아
아아앙
시끌
시끌
자!!
그럼 이제
모두가 기다리시던
시간이죠.
와아아
우오오
쩌렁
한 명이
잡은 거라고는
믿을 수 없는
엄청난 양의
사냥감!
오오
귀청
떨어지겠어.

여러분!
바로 그
우승 트로피의
주인을
공개합니다!
팟!
올해 처음으로
참가하신,
헥시온
밀라트리오
대공 전하!

!
검은 기사!!

검은 기사가
헥시온 대공이라고?

헥시온 대공과
결혼이라…

네 주제에 맞는
상대를 골랐구나.

3년 후
정략결혼의
상대!

헥시온…?
밀라트리오
대공…?
정말이야?

설마
그 저주받은…
술렁…
세상에…

멈칫
!?
이쪽을 봤어?

슥
응?
왜 그러십니까,
대공 전하?

저벅
저벅
잠깐,
어디
가시나요오~?

대—

대공 전하께서
갑자기
군중들 속으로!

저벅

저벅

설마~~??

나한테
오는 거
아니겠지?

안되겠다,
일단 자리를….
죄송해요, 조금만
비켜주시겠어요?
제가 급한 일이…
슥

멈칫
영애.

빠르네….

정말 나한테 온 거였잖아.

…대공 전하?

익숙하신 대로
부르셔도 됩니다.
펄럭

그 사이 저를
잊으신 건가 하고
서운할 뻔했군요.

약속은 지켰습니다.

영애.

Chapter 11

Just Leave me be

뙇!
아…
이게 므슨
악취미적인
디자인이람….

감… 사
합니다….
이런 걸 왜
나한테
주는 거야??

대공 전하의
수상소감으로
식을 마치겠습니다.
전하께선 단상으로
돌아와 주세요!

다시
가봐야
겠군요.

쏟아지는 시선

그럼, 영애.

네에에…
축하드려요.

이것도
도로
가져가!!

어머,
세상에~
저벅 저벅…
팍
비프타 영애는
좋겠어요!
무려 '그'
밀라트리오 대공 전하께서
트로피를 주시다니.
다들 놀란 표정 보셨나요?
갑자기 이쪽으로 오셔서
저도 무서웠지 뭐예요~
어머, 물론 저는
영애의 취향을
존중한답니다.
저주받은
대공이라는 소문에
다들 가까이 가기도
꺼려하는데,
그런 점까지도
마음에 드시는 거겠죠?
……
말씀이 좀
과하시네요.
알리아 영애.
슥…

그러고보니, 영애께서 술을 드린 기사분은 어떻게 되셨나요?
네?
깜짝
우승은 따놓은 당상이라고 하도 자랑을 하셔서 뭐라도 하나 받으실 줄 알았는데.
호호
어머, 제가 참 무슨 말을….

상을 받으셨으면 시상식에서 봤을텐데, 대공 전하께서만 상을 받으셨잖아요?
제가 실언을 했네요~^^
발끈

영애, 지금 절 놀리시는 건가요?
버럭!
대공 전하께 트로피 좀 받았다고 이렇게 제게 무례하게 구시다니요!

안 그런가요 여러분??
어휴 정말,
제가 당황스러워서…
아… 또 일부러 목소리를 키우는구나. 어쩔 수 없지….
슥
영애.
……?

소곤..
바다 건너 온 약은 효능이 뛰어나던가요?

사악
무,
무슨 소리를…
탁
대체 무슨 소리를 하는 거에요!!!
역시나.

그녀가 바다 건너 외국에서
어떤 약을 들여왔다는 건
죽기 전에 알고 있던
정보 중 하나다.
그 약에 중독되어서
1년 정도가 지난 후에는
딸로 인해 후작가의 재산이
거덜날 지경이 되었더랬지.

그나마 아직
초반일테니….
더 늦기 전에
손 떼는 게
좋을 거에요.
영애 아버님을
생각하셔야죠.

앞으로는
입조심도 좀
하시고요.
제가 더 말하지 않아도
무슨 뜻인지 아시겠죠?
……..

영애,
대답은요?

끄덕
끄덕
됐다.

하얗게 질린 게
좀 안쓰럽긴 하지만…

뭐, 결과적으론
알리아 가문을
도와준 셈이니까.

괜찮으세요, 영애?
끄으응…
털썩

이제 저쪽은
신경 안 써도
되겠지.
슥

자, 그럼—
대공 전하께서
수상소감을
말씀하시는 것으로
시상식을 끝내겠습니다!
아…

촤랑

간단하군요.

……?

아하하…
전하께서 많이
피곤하셨나 봅니다.
새삼 정말
이상한 사람이야….

그럼,
시상식이
끝났으니
저녁의
연회 시간까지
모두 푹 휴식을
취하시길
바랍니다!
…왠지 무척
피곤해졌어.
이제 3년 전과
완전히 달라져 버렸잖아….

그렇다고 똑같이 흘러가기를
원했던 것은 아니지만,
얼굴도 모르고 있던
정략결혼 상대와
이렇게 엮여 버릴 것이라고는
생각하지 못했다.

네가 마음에 든
모양이더구나.
대공과 언제
안면을 튼 거지?

…공작.
술을 드리고
대화를 좀
한 것뿐이에요.
묘하게 만족스러운
표정이네.

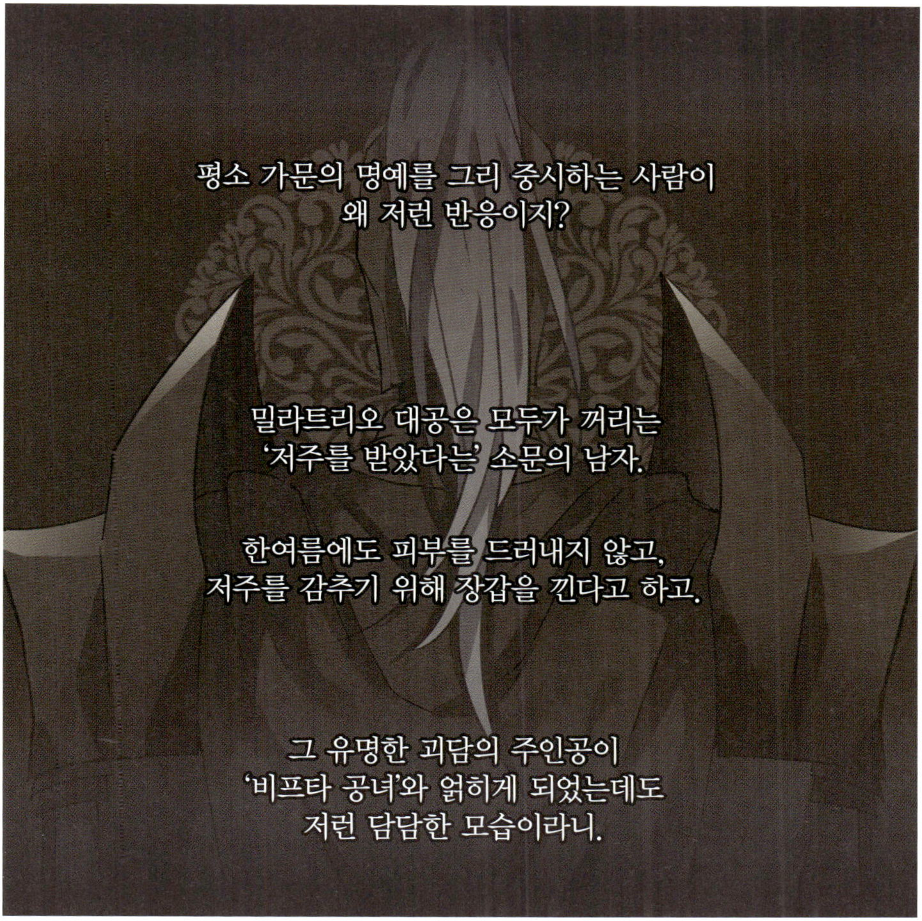

평소 가문의 명예를 그리 중시하는 사람이
왜 저런 반응이지?

밀라트리오 대공은 모두가 꺼리는
'저주를 받았다는' 소문의 남자.

한여름에도 피부를 드러내지 않고,
저주를 감추기 위해 장갑을 낀다고 하고.

그 유명한 괴담의 주인공이
'비프타 공녀'와 얽히게 되었는데도
저런 담담한 모습이라니.

설마 이대로…
다시 정략결혼을 하게 되는 건 아니겠지?

뭔가 단단히 꼬여 버린 것 같아….

공작 각하.

손님이 찾아
오셨습니다.

손님?

밀라트리오
대공 전하십니다.

흠.
힐끔
들어오시라
전하게.

아니,
이 막사에는
대체 무슨 일로…
트로피 회수?
바스스…
쭈볏

대공 전하,
여기까진
어쩐 일이십니까?
아…
다른 분께 용무가
있는 건 아니고.

비프타 영애를
뵈러 왔습니다.

!??

누…
누구세요?
아차
나도 모르게
말해 버렸잖아?
목소리만 들어도
알 수 있는데!
슥
누구냐니
제게
물으신 겁니까?

속상합니다.

속상하긴
무슨…!
화끈
잘생겼다기 보다
아름답다는 표현이
어울리는 얼굴.
말하는 건
검은 기사일
때와 똑같은데
얼굴이랑
연결이
안 되잖아.
비프타가 사람들도
준수한 편이지만
이 사람은 격이 달라.
호사가들의 소문 속 주인공이
사실은 이렇게 눈에 띄는 외모라니,
왠지 검은 갑주만 입고 다니는
이유도 알 것 같고….

얼굴에 흉터가~
끔찍한 몰골이~
…완전
정반대잖아?
—하지만,
겨울에나 입을
긴 장포에
새까만 장갑…
얼굴 외에
온몸을 가린 건
마찬가지구나.
후
갑주를 벗은 모습은
처음 뵈어서 잘 몰랐네요.
밀라트리오 대공 전하.
!

흠
그렇군요.
슥
—그럼, 저랑 잠시 나가시겠습니까?
앗…
지금요?

공작…
지긋-
아냐, 대공은 내 손님이잖아.
눈치 볼 필요 없어.

—알겠어요.
사뿐

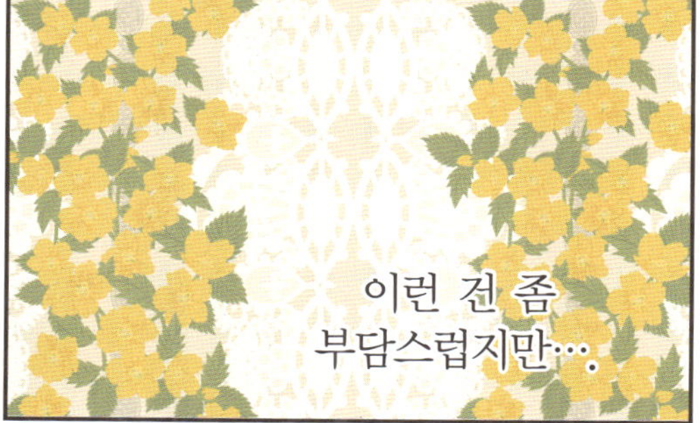
이런 건 좀 부담스럽지만….

대공 전하.
너무 늦지 않게만 돌려보내 주셨으면 합니다.
후
짧게 대화만 나눌 겁니다.
이왕이면 신경을 꺼주시면 고맙겠군요.

세상에.

…….

저 공작에게
그런 말을 하다니…

—아버지께
그렇게 말하는 분은
처음 봤어요.

아.

그렇습니까?
훗

나는 그가
싫습니다.
싫은 자를
존중해 줄 만큼의
자애도 없고요.

Chapter 12

Just Leave me be

당연하다는 듯이
말하는구나….
…그러시군요.

제게 관심이 좀
생기신 겁니까?
그건 아니랍니다.
대공 전하.
이런.

…흠.
그 어감은
별로 내키지 않네요.
…네?

‘헥시온’이라고,
불러주시면
기쁠 것 같습니다.

퐁
퐁

햣
뭘 또 넋 놓고 보고 있는 거야!
쓸데없이 잘생겨서는…
알겠어요, 헥시온 경.

경이라…
하핫

100점 만점에 80점 드리겠습니다.
짠~
…….
(뭐 하는 거람.)

그래서 약속은
지켜주실 겁니까?

…어쩔 수 없지.
이왕 이렇게
되었으니….

약속은 지켜요.

전 시간이 많으니
경께서 내기는 시간에
언질을 주세요.

이 사람이 밀라트리오 대공이라는 걸
진작 기억해 냈다면, 이 정도로 엮이진 않았을 텐데.
이맘때쯤의 기억이 흐릿해서 잊고 있었어….

그의 존재가
처음 알려졌을 때만 해도
떠들썩했었지.

더욱이
그의 차림새나

사용하지 않고
숨기는 왼팔.

갑자기 나타나
대공 작위를
받은 남자.

황제의
사생아라느니
조카라느니
온갖 소문이 돌고….

자신을
감추는 듯한 행보에
저주받은 게
아니냐는 말도
서슴없이 오갔다.

허울뿐인 작위,
온갖 괴담의
주인공.

척박한 북부의
땅에 틀어박힌
소문의 대공에게

팔려가듯
결혼한다며
나를 비웃는
시선들도
상당했었지….

하지만 비프타 가문과
밀라트리오 대공가가 맺어져
더 강해지는 걸 내켜하지 않는
사람들도 있었다.
정작 나를 죽인 건
공작이었지만, 생각해 보면
그날 호위 기사의 수도…
…애
영애.

무슨 생각을
그렇게 골똘히 하십니까?
!?
깜짝
불쑥
아무것도
아니에요.
놀래라….
콩닥
콩닥
흠…
영애는
거짓말이 참
능숙하시군요.
그 말 그대로
돌려드려도 될까요?
하핫.
뻔뻔하긴….

이렇게 잘
받아치시는 분이
공작 앞에서는
왜 그리 눈치를 보시는지
모르겠군요.
뜨끔
뭔가
책잡힌 거라도
있으십니까?
별걸 다
물어보네
정말!!!
남의 가정사에
왜 이렇게
관심이 많아??
으아아악
....

쓸데없이
눈치만 좋아서!!
무슨 독심술이라도
부리나???

지긋-

음? 왜요?

걱정 마세요.
독심술 같은 걸
쓸 리가 없잖습니까.
방긋
아니,
완전 쓰는 것
같은데요….

아무튼… 날짜는 다시 정해서 연락드리는 게 좋겠습니까?
네. 경께서 원하시는 대로…
앗.

혹시 괜찮으시다면, 일주일 뒤는 어떠세요?

그날 콰른이 돌아오잖아! 약속을 잡아놓으면 당일엔 마주치지 않을 거야.

7일 뒤에 말입니까? 영애께서 원하신다면 저도 괜찮습니다.
좋아!

그럼 그날 아침에 뵈어요.
그러지요. 비석 해독을 위한 도구들도 잊지 마시고…

아,
도시락.
상큼♡
각자가 만든 수제 도시락을 꼭 가져와야 합니다.
!?
수제… 도시락이요?
네.
샤라라랑~

전 요리할 줄
모르는데요….
저도 모릅니다.
당당!
그럼 어떻게요?
안 해봤으니
해보는 겁니다.

해보면 언젠가는
도움이 되지 않겠습니까?
아직 해보지 않은 일에
먼저 겁을 먹을 필요는
없다고 생각합니다.

…또 신경 쓰이는 말을.
…그래도
저는 무리예요.
그 대신 따뜻한 차는
제가 준비해 갈게요.

하는 수 없군요.
그럼 도시락은
제가 만들겠습니다.
정말
만드시려고요?

맛이 없어도
드셔주실 겁니까?

…네.
약속할게요.

뭐, 죽진
않겠지….

하핫

최선을
다해보겠습니다.

그나저나…

전 영애에게
이름을
알려 드렸는데,

영애는 제게
이름을 부를 권한을
주지 않으실 겁니까?

무슨 소리람.

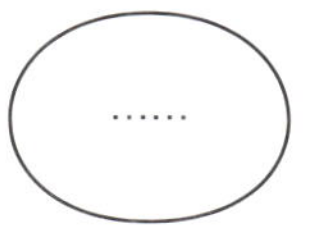
……

원하시는 대로
부르세요.
이름 아시잖아요.
카레나 비프타라고
부르면 되잖아.

이 사람도
'진짜 나'를 알고
하는 말이 아니니까.
별생각 없이
하는 말이겠지….
물론 알고
있습니다만…
그래도
직접 듣고 싶은
이유는 뭘까요?

어차피 이 모든 건
'카레나 비프타'가
가져야 했던 것인데.
내 진짜 이름을
떠올리는 것 따위
의미 없지만….
하지만
내 입으로 '카레나'라고
말하는 건 싫어.
그럼 내 안에서 지켜오던
'아델'의 이름조차도
사라져 버릴 것 같으니까.
이제 날 그 이름으로
불러줄 사람도 없지만…
뒷골목 고아였던 꼬마 아델을,
나만은 잊고 싶지 않아.

…그걸 제게 물으시는 건 의미가 없는 것 같네요.
끙…
—생각해 보니 콰른이 어릴 때 이름을 물어보긴 했었지만. 고아니 뭐니 했었지….
……

알겠습니다.

그런 다음 주 아침에 뵙도록 하죠.

—다음 주보다 조금 더 빨리 뵙게 될지도 모르겠지만요.

네?

아무것도 아닙니다.

그럼.
꾸벅
슥
제 억지를 받아주셔서 감사합니다.
영애.

저녁 연회 때 뵙겠습니다.

뭐에라도
홀린 듯한 기분이네….

—딱히 눈에 보일 법한
특별한 능력을
가진 것 같진 않은데.
흠…
하지만 이건
확실히
효과가 있어.

병증의 완화뿐 아니라…
발작 간격도
두 시간이나 길어졌고,
약이 없어도 이틀은 버틸 수
있을 정도가 되었다.

그리고
묘한 기시감.
예전부터 알고 있었던 것 같은
그리운 느낌은 뭘까….

모르겠어.
움찔
아…
또 시작됐군.
부들
부들
당신에게
뭐가 있는 거지?
털썩
윽…
………
꽉

…카레나 비프타….

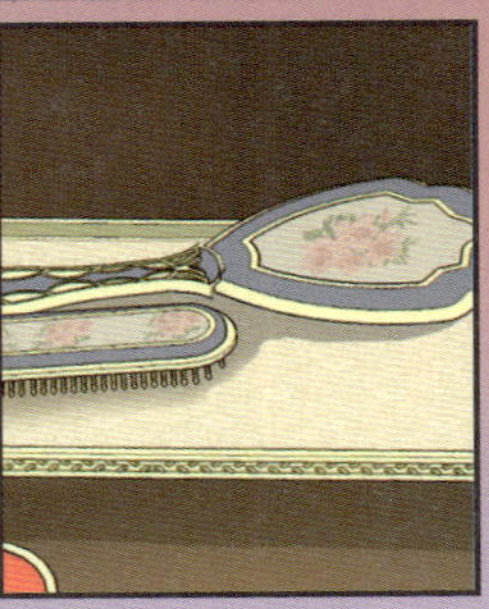

저녁 연회를
미처 생각 못 했어.

똑똑
카레나.

아버지….

슥
다들
물러가거라.

…대공 전하와
약속한 것이 있어
이야기를 나눴습니다.

그래.
대공이
무슨 이야기를
하더냐?
약속?
무슨 약속을
했길래?

뭐지?
평소엔 '카레나의 의무' 외엔 관심도 없더니.
말하기 부끄러운 약속이라도 했나 보지?
네?
그건…
별것 아닌 사생활이라 말씀드리기 부끄럽네요. 걱정하실 일은 없으니 부디 이해해 주세요.
부끄럽다라…

전에 네가
대공에 대해
물어봤잖느냐.
밖에서 대체
뭘 하고 돌아다니기에
대공이 저러는 거지?
화악

Chapter 13

Just Leave me be

…아뇨,
안 되겠어요,
공작 각하.

뭐?

—무서워.

어떤 표정을
하고 있을지
안 봐도 뻔해.

하지만…
나는 그가
싫습니다.

대공이 공작을
적대시한다.
그리고 공작은
그의 눈치를
보고 있어.

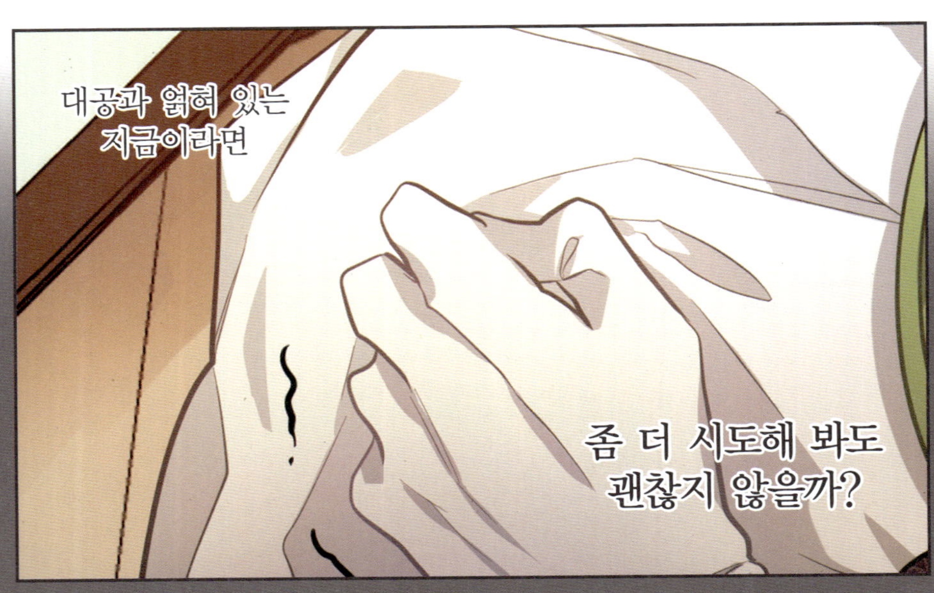
대공과 얽혀 있는
지금이라면
좀 더 시도해 봐도
괜찮지 않을까?

ㅡ저는
각하와의 약속을
완수하려고
노력하고 있어요.
하지만 그게
제 일거수일투족을
모두 보고해야 할 이유는
되지 않아요.

ㅡ모욕을 받아야
할 이유도
되지 않고요.

대공과 좀 어울렸다고
네가 뭐라도 된 줄
아는 모양이구나.
버릇없는 딸자식은
예의를 가르쳐야 하겠지.

좌륵
이런, 또…
아버지께 말버릇이 그게 뭐냐, 카레나.
요즘 행동이 이상하구나.

펠리스.
연회장에서 아버지를 찾아서 모시러 왔습니다.

아, 아까 봐달라는 게 있었지.
그래, 가자.
타이밍이 좋았네….

곧 연회가
시작되니,
늦지 않도록 해라.
카레나.
저벅
저벅

답답해….
슥
연회까지 시간이
얼마나 남았지?

연희…
가야겠지.
제대로
참석하지 않으면
또 난리를 칠 테니.
남은 시간 동안
천천히 걷다 갈까….
자박…

파사삭

—뭐지?

휙

인기척이…

스슥

!!!!

덤불에
누군가 있어!

거, 거기
누구세요?

조용…
스윽
스윽

뭐… 뭐야?

여기저기서
사람들이…

뭐 하는
사람들이지?

검은 로브에
하나같이
큰 체격들…

오싹

설마 날
노리는 건가?

휙
지금은
연회장 쪽에 제일
사람이 많을거야.
!!
빨리
연회장 쪽으로…
…안 돼!
연회장 쪽도
가로막고 있어…!
침착해! 아직
거리가 있어!
꿀꺽
막사 앞에서
날 습격하진
못할 거야!

아냐, 날 끌고 가서
공격할 수도 있어….
만약 여기서 또
내 생이
끝나는 거라면?
—저 인원이
다 같이 움직이면
분명 남들이 알 정도로
소란이 일어나겠지.
그러니까
한 번에 달려들지
않는 거야….
주춤
탓!
뛰자!!
!!

마침 숲 쪽은
저들이
막고 있지 않아.

곧 어두워지고
여기 숲은 숨을 곳도
많으니까…

또 들짐승을
마주칠 수도
있겠지만.
잘만 하면…
저들을 따돌리는 데
들짐승을 이용할
수도 있을 거야.
할 수 있어!
이 숲길은
이제 외우고
있으니까.

다시는
무력하게
당하지 않아!!

……
겁에 질려 꼼짝도 못 할 줄 알았는데… 제법 민첩하더군요.
이제 석양도 사라졌습니다.
계속 쫓을까요?

—밤의 숲은 우리가 들어갈 수 없다.

철수해라.

예.

헉
헉
타닷

하아,

비틀

하아.

가슴이 터질 것 같아.

따돌리는 데는 성공한 것 같은데…
너무 깊숙한 곳까지 와버렸네.
휙

그래도 이젠
아무 기척도
느껴지지 않아.
살아
남았어….
휴…
어디 보자.
너덜…
머리는 엉망,
숄도 흘렸고…
내일 아침에나
찾을 수 있으려나.
큰일이네….
…응?
샤아아아아

저쪽은…
비석이 있는
곳이잖아.
바스락
이 이상한 빛은
뭐지…?
파삭

!!!
멈칫

파아아–
비석의
글자들이,
빛을 발하고
있어…!!

형광 도료인가?
아니, 그보다
훨씬 더 선명해.

낮보다 글씨가
훨씬 더
도드라져 보여….

첫 번째 줄…

전에 본 것과
내용이 다르네…?

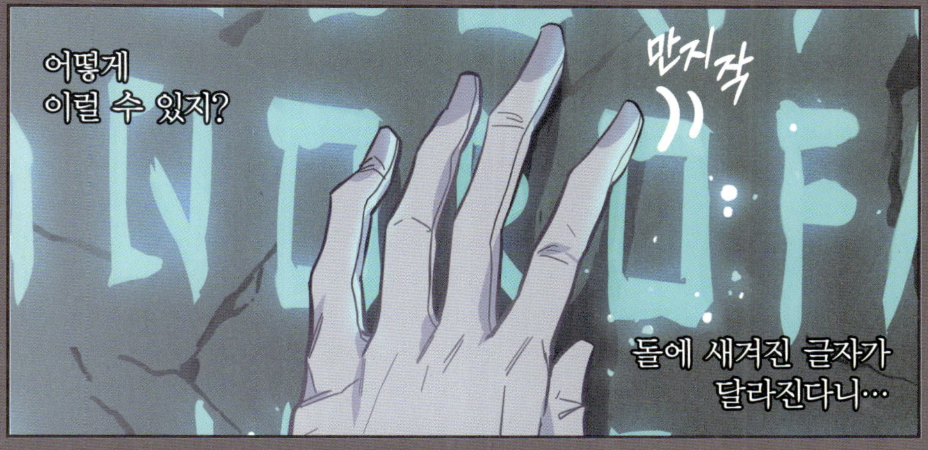

어떻게
이럴 수 있지?
만지작
돌에 새겨진 글자가
달라진다니…

신기해…!!
두근

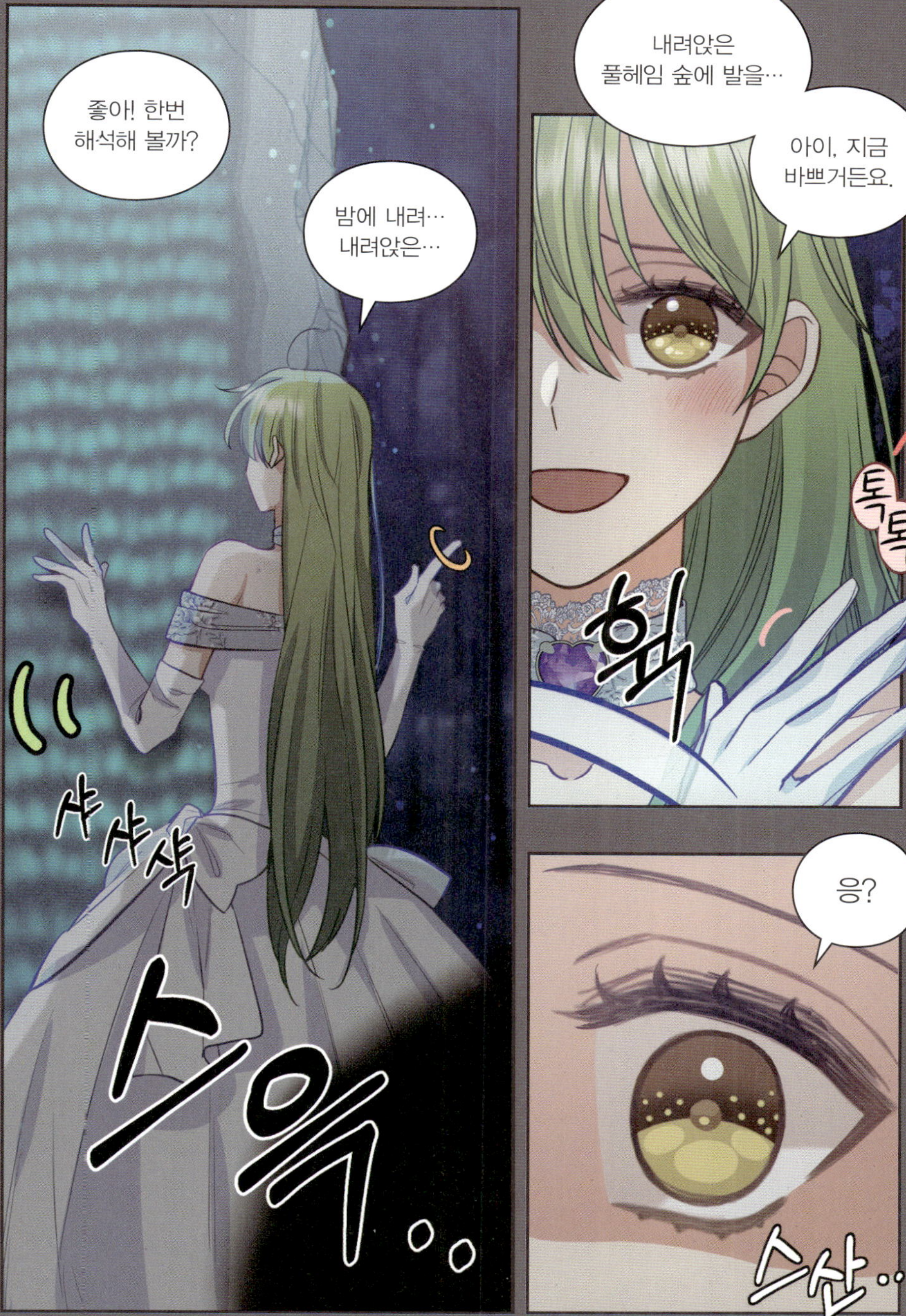

좋아! 한번
해석해 볼까?
밤에 내려…
내려앉은…
샤샤샥
스윽..

내려앉은
풀헤임 숲에 발을…
아이, 지금
바쁘거든요.
톡톡
휙

응?
스산..

화들짝
아니, 누,
누구세요?!
……
후우
설마 했는데
아니나 다를까…

또
헥시온 경!
또
놀래켰다면
미안합니다.

저도 듣고 싶네요.
비석이 숨겨놓은
밤의 이야기가 무엇인지.

다음 권에 계속

안녕하세요!
'나를 버려주세요'
1권을 구매해
주셔서
감사합니다!
저는 작화를
담당하고 있는
채로입니다.
와아아
와아아

저와 함께 작업해 주고 늘 어르고 달래며 각색과 보정 작화 디렉팅을 해주는 코타비 님 (당신이 없었으면 나를 버려주세요는 없었습니다.) 저를 발굴해 주시고 데뷔와 연재까지 이끌어준 박소현 피디님. 레이어 정리도 못 하던 시절부터 함께해 주고 작업 팁도 주시는 저의 든든한 1등 어시 희선 님. 연재 기간 동안 … 신세 지고 있는 문어구이 님 … 봄 님 모두 감사합니다. … 다온크리에이티브와 … KW북스도 고마워요!

특히 코타비 작가님. 게임회사 아트 디렉터 자리를 맡고 계시던 분을… 제가 이곳 웹툰 업계까지 끌고 와버렸네요. 나버려 표지와 각종 일러스트도 코타비 님의 손에서 예쁘게 탄생한답니다.
코타비님
제 손이 떨릴 정도로 급박하게 마감했을 때도 침착하게 편집과 업로드를 해주시는 소현 피디님. 나버려 원고는 피디님의 편집 버프로 풍성하게 예뻐져요!
피디님
드르륵
단행본포인트!
1권 분량의
작화 수정 작업을
거쳤습니다.
거의 새로
그렸어요.
고마워요

그리고 기존의 컷툰을
페이지 형식에 맞추어
컷배치도 작업했답니다.
페이지 끊음이
애매한데…
컷을 이렇게
해보는건?
콜!

4컷 만화도
수록했습니다!
단행본 특전으로
개그 4컷 만화
그리고 싶어요.
콜!
똑똑

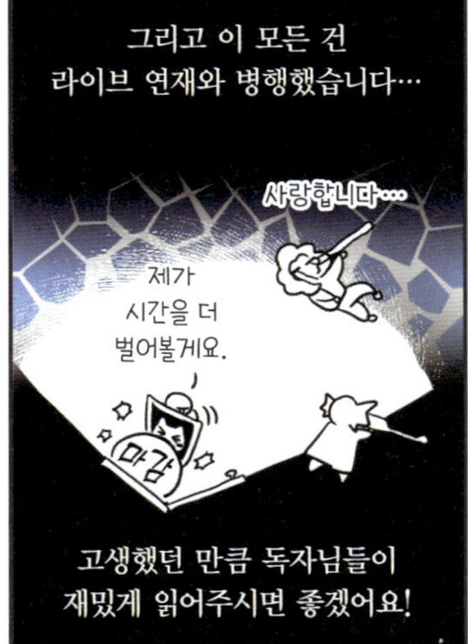
그리고 이 모든 건
라이브 연재와 병행했습니다…
사랑합니다…
제가
시간을 더
벌어볼게요.
마감
고생했던 만큼 독자님들이
재밌게 읽어주시면 좋겠어요!

안녕하세요!
각색, 작화보정을
맡은 코타비입니다.
1권을 구매해 주셔서
감사합니다!

소중한 분들에
대한 감사인사는
채로 님께서
다 써주셔서 저는
살짝 얹어가기로…!

여러분들 덕분에
여기까지 왔습니다!
감사합니다!

어릴 때부터 꿈이 만화가였는데…
어쩌다 전직을 하여 꿈을 이루고
이렇게 단행본까지 나오게 되다니
감개무량하네요.

어떤 직군이든
저의 작업을
선보인다는 건
무척 설레는
일인 것
같습니다!

저는 참
복받은 사람…

◆ 각색에 대해

중점을 두는 부분은 각 인물들의 '행동의 동기'와 '인과의 흐름' 같습니다. 특히 아델의 용기있는 두 번째 삶에 힘을 실어주려 노력하고 있어요!

파이팅!

◆ 작업과정에 대해

매 원고의 시작과 끝을 제가 담당하다 보니 (각색/콘티, 작화보정) 제가 늦어지면 모두가 혼돈에 빠지곤 합니다. 특히 채로 님… 언제나 미안하고 고맙고 앞으로도 화이팅이어요!(수그림)

압도적
죄송…!

주간연재 마감은 언제나 우당탕탕이란 느낌입니다. 매 순간 휘몰아치는 풍랑을 어떻게든 뚫고 나가는… 그런데 조타수(저)가 거북이인 그런 느낌이죠… 그래도 언제나 있는 힘껏 작업하고 있습니다.

미안하다
사랑한다

난 이미
뻗었다

각자의 파트 외에도 전반적인 부분을 함께 작업하고 의논하며 진행해서, 더욱 즐겁고 애착이 생기는 것 같아요. 저희의 노력이 독자분들께 만족을 드릴 수 있다면 좋겠습니다!

같이 살아서
24시간 회의모드
캐릭터들에 대한
재밌는 썰도 한가득인데
다 못 푸는 게 아쉽네요!

그럼, 2권에서 더욱 흥미진진한 내용으로
다시 뵙겠습니다!

또 만나요!

특별 부록
4컷 만화

그려보았다

흐음…
나를 그렸단
말이지.
두근
두근
미술에
재능이 있나?

어디 어떻게
그렸나 볼ㄲ…
두둥

이…
이게 바로…
고오오…
나…?

그리고 그날 아델의 밥은 없었다.
그 애에게
붓도
쥐여주지 마.
예.
꿈에 나올까
두렵군.

의외의 활용법

야, 그건
뭐야?
아, 제게
소중한 거예요….

소중한 건 무슨,
쓰레기구만.
탁

주워서 다시
붙여보던지?
누더기겠지만 말야~
후두둑
안 돼요…!

사실 그냥 쓰레기였다.

계획 대로

제법 편한데?
다음엔
한 번에 모아서
가져와야지.